Adaptación del texto: Ana Mata Buil

Editado por Editorial Planeta, S. A.

© Imágenes: Zinkia Entertainment, S. A., 2005
POCOYÓ™ & © 2005 Zinkia Entertainment, S. A. La serie de Pocoyó,
sus imágenes y logotipos son propiedad de Zinkia Entertainment, S. A.
y sólo se pueden utilizar bajo licencia.
© Editorial Planeta, S. A., 2010
Avda. Diagonal, 662-664 – 08034 Barcelona (España)
Diseño de cubierta: Aurora Gómez. Departamento de Diseño de Editorial Planeta

Primera edición: abril de 2010
ISBN: 978-84-08-09212-4
Depósito legal: B. 9.200-2010
Impresión y encuadernación: Gayban Grafic, S. L.
Impreso en España – Printed in Spain

Detective Pocoyó

timun**mas**

Un buen día, en el mundo de Pocoyó, Elly juega muy contenta con su muñeca. Ha extendido un mantel en el suelo y ha colocado sobre él un plato con galletitas, una tetera y una taza de té. Elly y su muñeca están a punto de merendar.

¡Qué tarde tan estupenda para hacer una merienda al aire libre!

Sin embargo, cuando Elly va a dar el primer bocado a una de las galletas, oye un ruido muy fuerte.

«¿Qué es eso?», se pregunta. «Brrrr, parece un trueno.»

Tienes razón, Elly, se ha oído un trueno. ¡Corre, recoge todas tus cosas antes de que empiece a llover!

Después de meterlo todo en el cochecito de la muñeca, Elly se aleja corriendo. ¡No le gusta que la lluvia le salpique en la trompa!

Nuestra amiga Elly tiene que buscar un sitio en el que resguardarse y pensar en otra cosa que hacer para divertirse. Pero antes, quiere comprobar si ya ha empezado a llover, así que extiende un brazo y espera.

Nada, ni una sola gota cae del cielo.

«¡Qué raro!», piensa Elly. Está segura de que ha oído un trueno muy fuerte. «¡Brrrr, ahí va otro!»

En ese momento se acerca Pato tocando el tambor. ¡Ja, ja, ja! Elly, no eran truenos, ¡era el sonido del tambor de Pato!

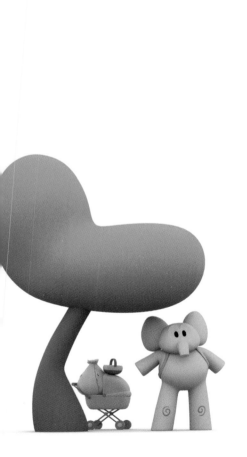

—¡Bien, bien! —exclama nuestra amiga Elly.

Es genial, porque si no llueve, podrá merendar al aire libre como tenía pensado. En menos de un minuto, Elly vuelve a montar la mesa, con el mantel, el plato de galletas y la taza.

Sirve el té y se lo da a su muñeca… ¡Un momento! ¿Dónde está la muñeca de Elly?

—¡Brrrr! ¡Bua! ¡Bua! —llora la pobre Elly.

Está desconsolada porque no sabe dónde puede estar su querida muñeca. Tranquila, Elly, seguro que la encuentras pronto…

—¡Buaaa! ¡Buaaa! —repite nuestra amiga. Se pregunta si alguien le habrá robado la muñeca.

¿Por qué piensa Elly que alguien le ha podido robar la muñeca? Pero si estaban jugando las dos solas…

No importa, Elly está dispuesta a encontrarla cueste lo que cueste. ¿A quién vio justo antes de la desaparición de su muñeca?

¡A Pato! «Claro, seguro que ha sido él», se dice Elly mientras va a buscarlo muy enfadada.

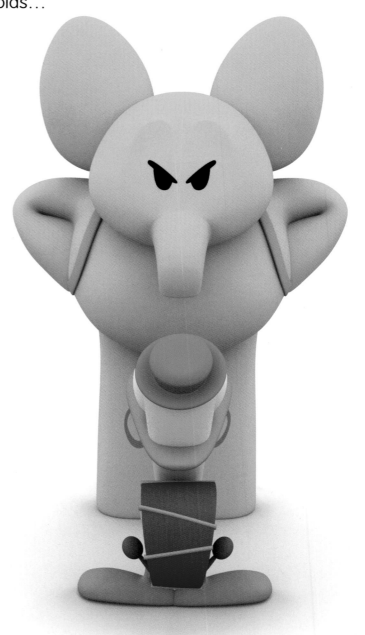

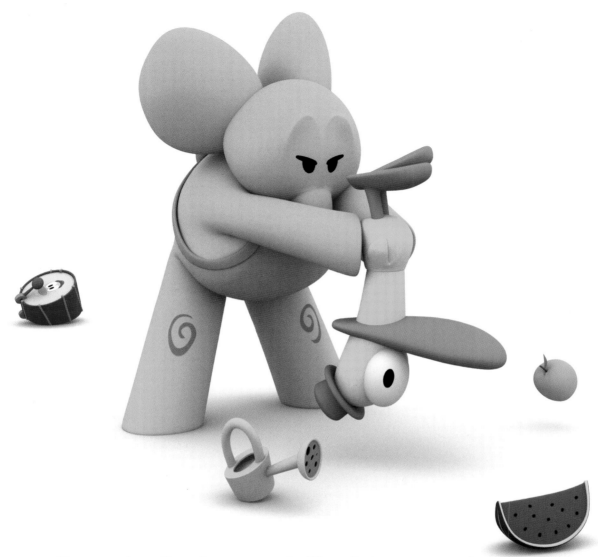

—¿Tienes mi muñeca? —pregunta Elly a Pato con cara de sospecha.

—¿Yo? No, no, no —contesta Pato, que sólo quiere seguir tocando el tambor.

Pero Elly no le cree y lo zarandea hasta que se le caen todas las cosas que lleva encima: una regadera, un trozo de sandía, una manzana… Pero ¡la muñeca no!

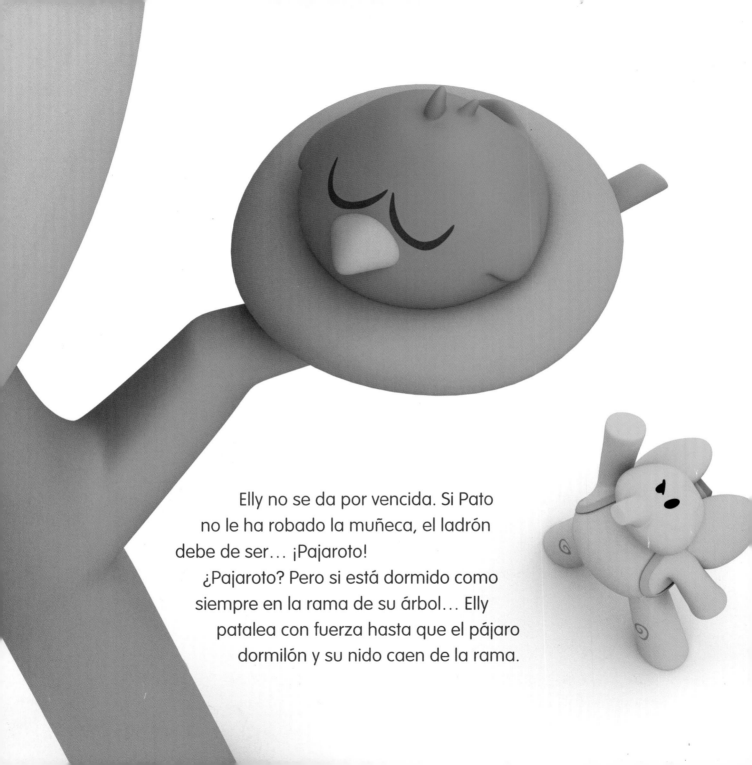

Elly no se da por vencida. Si Pato
no le ha robado la muñeca, el ladrón
debe de ser… ¡Pajaroto!
¿Pajaroto? Pero si está dormido como
siempre en la rama de su árbol… Elly
patalea con fuerza hasta que el pájaro
dormilón y su nido caen de la rama.

Pajaroto insiste en que él no ha visto la muñeca de Elly, pero ella, que es muy desconfiada, lo levanta con una mano mientras con la otra sacude el nido. De él cae Pajarito, un huevo y varios juguetes, pero, por supuesto, no cae la muñeca de Elly.

«¿Quién la habrá escondido?», se pregunta desconcertada Elly.

Después de asegurarse de que Valentina tampoco le ha robado la muñeca, Elly ya no sabe qué pensar.

—¡Brrrr! ¡Bua! ¡Bua! —se lamenta Elly. Teme no volver a ver a su muñequita.

En ese momento pasa por allí Pocoyó, quien, al ver llorar a su amiga, decide ayudarla.

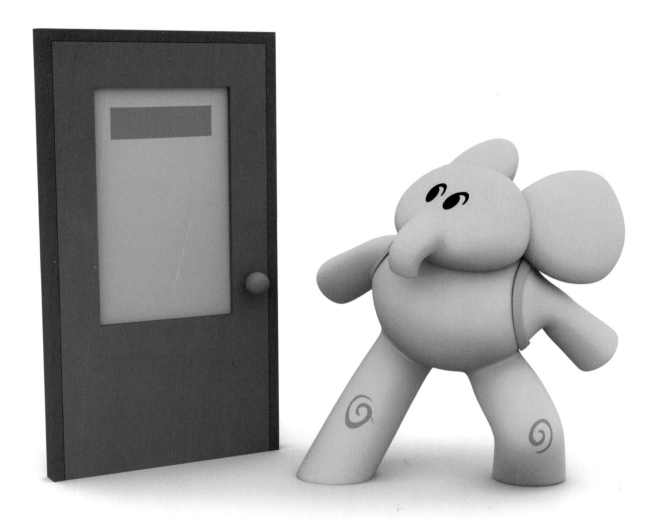

Pocoyó quiere ayudar a Elly, pero ¿cómo lo hará? ¿Qué se le habrá ocurrido?

De pronto Elly ve una puerta de madera con un cartelito colgado. ¿Qué habrá dentro? ¿Acaso estará allí escondida su muñeca?

Con cuidado, Elly abre la puerta y asoma la trompa.

Al entrar descubre que es una oficina. Y en ella no está su muñeca sino…
¡El detective Pocoyó!

Nuestro amigo Pocoyó, con aspecto muy formal, le indica que se siente
y que le cuente su historia.

Encantada de tener quien la escuche, Elly le cuenta con pelos y señales cómo ha desaparecido su muñeca.

También enumera todos los lugares donde la ha buscado sin encontrarla. Y, para que el Detective Pocoyó no tenga ninguna duda de qué aspecto tiene la muñeca desaparecida, le enseña una foto de la sonriente muñequita con dos coletas.

—Ajá —dice Pocoyó mientras memoriza la cara.

Como es un buen detective, medita el plan de la investigación antes de pasar a la acción. Parece un caso complicado, pero Pocoyó está dispuesto a intentarlo. ¡Todo sea por ayudar a su amiga Elly!

Una vez que ha trazado el plan, sale en busca de la muñeca.

En primer lugar estudia a los posibles sospechosos y toma notas en su cuaderno. «¿Habrá sido Pato?», se pregunta Pocoyó mientras anota que su amigo está regando las flores. ¿Lo hará para despistar?

En segundo lugar, con ayuda de la lupa, analiza a Valentina con la intención de hallar pistas. ¡Qué grande se ve Valentina a través del cristal!

Sin embargo, no descubre ninguna
prueba que lo ayude a encontrar al ladrón.
Tendrá que investigar un poco más…

«¡Ya sé!», piensa Pocoyó. Y raudo y veloz
vuelve con la lupa a la escena del delito.
Ahí siguen los restos de la merienda de Elly,
pero ¡ni rastro de la muñequita!

Mientras tanto, Elly ha vuelto a su casa. Desde que ha perdido a su querida muñeca, no tiene ganas de jugar. ¿Con quién va a merendar ahora al aire libre?

Saca la foto de la muñeca y la mira una vez más. ¡Ay, cuántos recuerdos!

Un momento, ¿qué es eso que asoma de la mochila de Elly?

¡Ahí va! Parece… parece… ¡la muñeca de Elly! Sí, sí, es la muñeca perdida. Elly la había metido en su mochila para resguardarla de la lluvia, pero no se acordaba.

—¡Qué alegría! —exclama Elly emocionada mientras abraza a su muñequita y le promete que no volverá a perderla.

¡Ahora ya pueden seguir jugando!

Sí, pero antes tendrá que decirle a Pocoyó que puede dejar de investigar, ¿verdad?

—Ejem, Detective Pocoyó —dice Elly, que no sabe por dónde empezar. Quiere que su amigo cierre el caso.

¿Cómo? ¿Cerrar el caso? Pocoyó no está convencido. Desea saber la verdad.

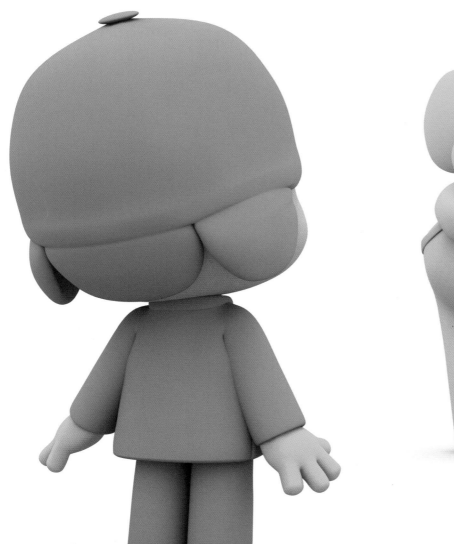
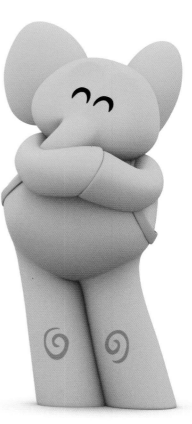

Además, se ha dado cuenta de que su amiga Elly actúa de una forma sospechosa. Juega de espaldas a él y le oculta algo. ¿Qué será?

Pocoyó se acerca lentamente a Elly y la descubre jugando con su muñeca. Claro, ¡la muñeca no se había separado de Elly ni un momento!

Elly está tan avergonzada de haber desconfiado de sus amigos que se echa a llorar otra vez.

Pocoyó no quiere que Elly llore, pero le dice que tiene que pedir perdón a todos sus amigos. Se sienten ofendidos por haber sido acusados sin motivos…

Elly está tan contenta de que el caso se haya resuelto que, además de pedirles perdón, ¡los invita a merendar!

Qué bien, así será mucho más divertido. ¡Qué tarde tan estupenda para merendar al aire libre y resolver misterios!

¡Bravo por el Detective Pocoyó! ¡Y bravo por ayudar a los amigos!